BIBLIOTHEE<·BREDA
Wijkbibliotheek West
Dr. Struyckenstraat 161
4812 BC Breda
tel. 076 - 5144178
D0834085

ALLEEN
IN HET DONKER

door

Luc Descamps

Luc Descamps
Alleen in het donker

Vanaf 9 jaar

Europark Zuid 9, 9100 Sint-Niklaas, België
telefoon: 03/760.31.00 fax: 03/760.31.09
www.abimo.net
info@abimo.net

Eerste druk: juli 2007

Cover en binnentekeningen: Marjolein Hund
Vormgeving: Studio Marjolein Hund
www.marjoleinhund.nl

NUR 283
D/2007/6699/04
ISBN 9789059323247

I

'En je komt er niet uit voor ik het zeg!'

'Ben je nou niet wat te streng?'

'Te streng? Voor zo'n rotjoch? Hij mag blij zijn dat ik hem niet een pak slaag geef op de koop toe. En als jij je verdomde mond niet houdt, kun je zelf een klap krijgen, begrepen! Geef me liever een ander glas en ruim die rotzooi op.'

Aan het moedeloze sloffen hoorde Thomas dat zijn moeder afdroop. Zoals gewoonlijk gaf ze toe. Thomas kon het haar niet kwalijk nemen. Eén klap van Peter en je wang bleef twee dagen rood. Als je er al geen blauw oog aan overhield.

Thomas kon het weten. Nog maar twee weken geleden had hij zo'n rotklap gekregen dat hij in de plantenbak was beland. Zijn oog had twee dagen dicht gezeten en zelfs nu nog was er een gele rand te zien. Op school had zijn moeder gezegd dat Thomas was gestruikeld en tegen het nachttafeltje was gevallen. Met zijn hoofd gebogen van schaamte had hij instemmend geknikt toen de juf hem onderzoekend aankeek. Hij wist dat zijn moeder het niet leuk vond als de mensen wisten wat er thuis gebeurde.

Op de vragen die de juf later tijdens het speelkwartiertje had gesteld, had Thomas ontwijkend geantwoord. Hij was al groot genoeg om een geheim te bewaren.

Twee jaar geleden, op een zaterdag in november, was zijn leven plots veranderd. Midden in de nacht ging de deurbel. Het regende. Vanaf de overloop had Thomas gezien hoe twee agenten onderaan de trap met zijn moeder stonden te praten. Ze spraken zo zacht dat hij niet kon horen wat er gezegd werd, maar ze leken heel bezorgd toen mama op de onderste trede ging zitten en haar hoofd in haar handen legde. Hij besefte dat er iets heel ergs was gebeurd, maar wat precies wilde hij liever niet weten. Daarom was hij zachtjes terug naar zijn kamer geslopen. Met zijn hoofd onder de dekens kneep hij zijn ogen stijf dicht en vroeg aan zijn vader om snel naar huis te komen.
Maar de volgende ochtend vond hij alleen zijn moeder aan de ontbijttafel. Aan haar roodomrande ogen kon hij zien dat ze had gehuild. Papa was nog niet thuisgekomen. Ook de volgende dag was hij er niet, en de dag daarna...

Het duurde een hele week voor Thomas eindelijk wilde geloven dat zijn vader nooit meer thuis zou komen. Dat was het begin van een lange, trieste periode die Thomas *de zwarte tijd* was gaan noemen. Zijn moeder was erg ongelukkig, hoewel Thomas zich uitsloofde om het haar naar haar zin te maken. Pas toen Peter op bezoek begon te komen, kon ze weer lachen. Dat waren vrolijke dagen. Peter was een leuke man, voor mama bracht hij vaak bloemen mee en voor Thomas cadeautjes. Thomas vergat papa niet, maar hij was heel blij met Peter.

Zo'n half jaar geleden was Peter definitief bij hen ingetrokken en Thomas had gedacht dat *de zwarte tijd* voor altijd tot het verleden behoorde. Zijn moeder zong weer, en als ze poetste leek het huis net iets schoner dan anders. En vreemd genoeg vond Thomas zijn moeder lekkerder ruiken. Aan haar parfum lag het niet, want ze gebruikte al jaren hetzelfde merk.
Zou je geluk kunnen ruiken?

Maar korte tijd later was alles veranderd. Het leek wel alsof Peter een andere man werd. Nooit meer bracht hij bloemen mee en een cadeautje voor Thomas al helemaal niet. Hij werd bitter en lachte alleen nog wanneer zijn vrienden op bezoek kwamen en ze met hun drieën gigantische hoeveelheden bier verzetten. Zijn moeder bleef dan in de keuken en Thomas moest extra vroeg naar bed. Maar slapen kon hij niet: het lawaai van de dronken mannen was te horen tot in zijn kamer. Ook wanneer hij alleen was, dronk Peter veel. Je kon dan beter uit zijn buurt blijven, want Peters handen hingen op die momenten wel erg los. Thomas zag zijn moeder steeds vaker huilen. Hij miste zijn vader.

11

Het enige licht in de kast kwam door een kleine spleet onder de deur. Met de benen opgetrokken zodat zijn knieën tegen zijn borst kwamen, zat Thomas op de grond. Zijn hoofd leunde tegen de zachte jas van zijn moeder.
Hij sloot zijn ogen en luisterde naar de geluiden in het huis. De tv stond aan en Thomas stelde zich voor hoe Peter languit op de sofa lag met een glas bier in zijn hand. Vanuit de keuken hoorde hij het geluid van vaatwerk dat op het aanrecht wordt gezet. Dat was zijn moeder die de afwas deed, ongetwijfeld met betraande ogen. Boven zijn hoofd kraakte de trap. Thomas vond het vreemd dat een trap kon kraken terwijl er niemand op liep. Hij had zich al vaker afgevraagd hoe dat kon, want het was niet de eerste keer dat hij hier zat.
Toen zijn vader nog leefde, moest hij nooit in de kast. Een enkele keer was hij naar zijn kamer gestuurd omdat hij iets had misdaan, één keer zelfs zonder eten. De volgende ochtend had Thomas een reuzehonger gehad, dat herinnerde hij zich nog alsof het gisteren was. Maar in de kast? Nooit.
Weer kraakte de trap. Nu enkele treden lager, dat was zeker. Thomas vroeg zich af, wie hij het liefst van die trap zou zien komen. Daar hoefde hij niet lang over na te denken. Papa natuurlijk! Die zou meteen naar de woonkamer lopen en Peter het huis uitzetten. Ha, die Peter zou nogal schrikken wanneer hij papa ineens zag binnenkomen.
Hij zou het zeker in zijn broek doen van angst. En zijn moeder, wat zou die blij zijn. Ze zou papa om de hals vallen en Thomas uit de kast bevrijden. Met zijn drieën zouden ze dan eindeloos

lang knuffelen, Thomas zalig gekneld tussen de buiken van zijn ouders. Een eenzame traan rolde langs Thomas' wang. Papa kwam niet terug, dat wist hij heus wel.

III

'Hij blijft zitten waar hij zit.'
Aan Peters stem kon Thomas horen dat hij dronken was. Hij sprak dan alsof hij een vod in zijn mond had.
'Maar...,' protesteerde zijn moeder voorzichtig.
Laat maar, mama, dacht Thomas. Als hij dronken is, blijf ik liever in de kast. Ik zit hier goed, met mijn hoofd tegen jouw zachte jas.
'Je hebt me gehoord,' lalde Peter.
'Maar hij kan daar toch niet de hele nacht blijven,' probeerde zijn moeder opnieuw.
Pets! Een kreet van pijn, gevolgd door het ingehouden snikken van zijn moeder. Thomas trok zijn hoofd tussen zijn schouders en huilde zachtjes mee. Het zware kraken van de trap verried dat ze naar boven gingen. Even later doofde het streepje licht onder de deur en werd het stil in huis.
Thomas kon niet geloven dat hij hier de nacht moest doorbrengen. Waarom was papa toch gestorven? Nooit, nooit zou die hem in de kast hebben opgesloten. En hij zou mama zeker nooit hebben geslagen. Thomas huilde. Hij huilde om alles: om zijn vader, om die dronken man waar hij wel nooit van verlost zou worden, om zijn moeder die nu doodongelukkig in bed lag - te bang om hem te bevrijden - en ook omdat hij hier alleen in de kast zat.
Nu het lichtstrookje was verdwenen, werd hij bang. Hij streek met zijn wang langs de zachte stof van de jas en probeerde zich voor te stellen dat zijn moeder bij hem was.

Hij schrok op toen hij de trap opnieuw hoorde kraken. Eén keer, twee keer... heel duidelijk. Thomas hield zijn adem in en trok zijn knieën nog dichter naar zich toe. Het kraken verplaatste zich van boven naar beneden en hield toen op. Kwam zijn moeder op haar tenen de trap af sluipen om hem te bevrijden? Maar dan had hij toch de deur van hun slaapkamer moeten horen? Het bleef stil.

Misschien had hij zich gewoon vergist. Thomas probeerde zich te ontspannen, tot hij hoorde hoe iemand de handgreep van de kast omdraaide. Trillend van angst kneep Thomas zijn ogen stijf dicht en voelde een kille windvlaag langs zijn wang strijken. Tien tellen lang gebeurde er niets.

Thomas telde nog eens tot tien en opende zijn ogen. Het was nog steeds stikdonker en ook het lichtstrookje was niet teruggekeerd.

'Heb je het koud? Je rilt.'

Thomas hapte naar adem. Hij kon zijn oren niet geloven. Die stem...

'Een beetje,' antwoordde hij kleintjes.

'Wacht maar even. Straks heb je het lekker warm,' zei de stem.

Thomas bracht voorzichtig zijn hand omhoog en kneep stevig in zijn wang. Hij kon nog net een kreet onderdrukken.

'Papa?' zei hij voorzichtig.

IV

'Ja, Thomas, ik ben het.'

Thomas wilde overeind komen, maar een onzichtbare hand hield hem tegen.

'Het is beter dat je blijft zitten, jongen.'

Gehoorzaam leunde Thomas terug tegen zijn moeders jas.

'Hoe... hoe kom je hier, papa?'

'Ik merkte dat je me nodig had, jongen. Ik voelde je angst.'

'Woon je dan in deze kast?' fluisterde Thomas.

De stem lachte: 'Nee hoor. Ik woon hier niet. Maar ik ben gekomen omdat jij hier zit. Je hoort niet in een kast, Thomas. Dit is een plaats voor jassen en schoenen, niet voor kinderen.'

'Ik moest erin, papa. Het was...'

'Ik weet het, jongen. Het was Peter.'

'Ken je hem dan?'

'Natuurlijk. Hij woont toch in mijn huis, niet? Hoe zou ik hem dan niet kennen?'

'Heb je ons dan al die tijd in het oog gehouden?'

'Ook al ben ik er niet meer echt, ik hou nog altijd zielsveel van jou en mama. Dus het leek me het beste om een oogje in het zeil te houden.'

'Het gaat niet goed met ons, papa,' jammerde Thomas zachtjes.

'Dat weet ik, jongen,' zuchtte de stem. 'Het was geen goed idee van je moeder om die man in huis te nemen.'

'Maar ze had zoveel verdriet, papa. En in het begin was Peter echt aardig. Je mag niet boos zijn op haar, papa.'

'Dat ben ik ook helemaal niet. Ik ben alleen verdrietig omdat het niet goed met jullie gaat.'

‘Ik wou dat je weer bij ons woonde, papa,’ zei Thomas. ‘Kom je terug?’
‘Dat kan helaas niet, jongen,’ antwoordde de stem.
‘Dan wil ik weer alleen zijn met mama. Net zoals toen je net weg was. Toen was mama ook niet gelukkig, maar we werden tenminste niet geslagen.’
Het bleef stil in de kast.
‘Waarom zegt mama niet dat Peter moet vertrekken?’ vroeg Thomas. Hij had die vraag al vaak aan zijn moeder willen stellen, maar dat had hij nooit gedurfd.
‘Ik denk dat ze bang is, jongen.’
‘Ja, dat denk ik ook. Misschien slaat hij haar dan weer.’
‘Dat verdient ze niet,’ zei de stem.
‘Zeker niet,’ zei Thomas fel. ‘Ze is de liefste mama ter wereld.’
‘Daar heb je gelijk in, jongen. Misschien wordt het tijd dat ze de moed vindt om Peter buiten te zetten.’
‘Zou jij haar daarbij kunnen helpen?’
Het werd opnieuw stil in de kast.
‘Papa? Ben je er nog?’

De stem antwoordde niet meer en heel even was de stilte oorverdovend. Tot de trap weer kraakte. Heel zachtjes. Het geluid ging van beneden naar boven. Toen verscheen het lichtstrookje en kraakte de trap opnieuw. Van boven naar beneden deze keer. Weer hoorde Thomas hoe de handgreep werd omgedraaid, maar nu kneep hij zijn ogen niet dicht. De deur zwaaide open en daar stond zijn moeder. Ze legde een vinger op haar lippen en stak haar hand naar hem uit.

V

De volgende dag was Peter al naar zijn werk, toen moeder Thomas wekte. Thomas dronk zijn glas vruchtensap in één keer leeg en at zwijgend zijn boterham. Zijn moeder zat tegenover hem en speelde met de kop koffie die voor haar stond. Haar ogen waren opgezet en haar linkerwang was gezwollen. Misschien had Peter haar nog een keer geslagen omdat ze hem uit de kast had gelaten. Maar dat durfde Thomas niet te vragen. Hij was bang dat hij zich dan nog schuldiger zou voelen. Als hij dat glas niet had omgestoten, was er immers niets gebeurd.
'Ik heb van papa gedroomd,' zei moeder ineens.
Thomas hield zijn boterham stil voor zijn mond. Hij wilde net een hap nemen, maar zijn mond bleef open staan. Toen liet hij zijn hand weer zakken.
'Hij woonde weer bij ons en alles was net als vroeger.'
Ze glimlachte, maar met haar gezwollen gezicht zag ze er zo nog triester uit.
'Het was een mooie droom,' zei ze.
'Heeft hij gezegd dat je Peter moet buitenzetten?' vroeg Thomas. Het was eruit voordat hij het besefte.
'Nee, malle jongen. Dat heeft hij niet gezegd,' glimlachte ze. 'Eet je boterham nu maar op, want het is tijd om naar school te gaan.'

VI

's Middags bij de schoolpoort zei de juf tegen zijn moeder dat Thomas ziek leek.
'Vanmiddag is hij met zijn hoofd op tafel in slaap gevallen. Misschien moet u maar eens naar de dokter gaan.'
'Het is vast niet erg,' antwoordde moeder. 'Hij heeft heel slecht geslapen. Maar ik hou het zeker in de gaten. Bedankt.' Ze trok Thomas mee om zo snel mogelijk bij de juf weg te zijn.

'Dek jij de tafel alvast, Thomas?'
'Het ruikt lekker, mama.'
'Ik maak Peters lievelingsgerecht klaar. Dat vindt hij vast fijn.'
En misschien is hij dan lief, dacht Thomas. Voorzichtig pakte hij de glazen uit de kast. Vandaag zou hij extra zijn best doen. Hij wilde niet weer in de kast.

Thomas hoorde het al aan de manier waarop Peter kwam aanrijden. Het grind van de oprijlaan spatte omhoog onder de wielen van zijn auto. Wanneer dat gebeurde, wist Thomas dat Peter had gedronken.
'Ik heb honger! Is het eten klaar?'
Een andere begroeting kwam er niet.
Geen kus, zelfs geen simpel hallo.
'Ja hoor. Ik heb je lievelingsgerecht klaargemaakt,' zei moeder.
Thomas kon aan haar stem horen hoe gespannen ze was.
Zonder nog een woord te zeggen ging Peter aan tafel zitten en wachtte tot moeder hem bediende.
'Auw! Dat is verdorie veel te warm.'

'Je moet wat voorzichtiger zijn, Peter,' zei moeder. 'Het komt net uit de oven.'
'Ik moet niks! Jij moet ervoor zorgen dat het eten niet zo pokkenheet is als je het serveert. Wil je misschien dat mijn mond vol blaren komt te staan?'
Moeder boog het hoofd en reageerde niet.
'Kun jij dan helemaal niets goed doen?' riep Peter boos.
Nu keek moeder op en Thomas zag de tranen in haar ogen blinken.
De maaltijd verliep in een akelige stilte, maar de poppen gingen weer aan het dansen toen Peter vroeg wat het dessert was.
'Het spijt me,' zei moeder kleintjes. 'Daar heb ik helemaal niet aan gedacht.'
'Hoezo, niet aan gedacht? Het is verdorie het enige dat je moet doen. Hoe kun je daar nou niet aan denken?'
'Nou ja, gewoon...' zei moeder.
'Ik vind daar niks gewoons aan. Ik heb gewerkt en ik wil verzorgd worden, begrepen!'
Toen keek hij Thomas aan: 'Breng jij me dan maar een glas bier!'
'Ik zal het wel doen,' zei moeder terwijl ze al overeind kwam.
'Heb ik het jou gevraagd? Je maakt er een lui kind van. Vooruit, Thomas!'
De jongen haastte zich naar de keuken en kwam terug met een volle pint. Het puntje van zijn tong stak tussen zijn lippen; hij wilde in geen geval morsen.
'En let nou verdorie op wat je doet. Ik wil niet dat het bier weer over de tafel stroomt.'
'Dat was niet opzettelijk,' zei Thomas zacht.

'Ga je tegenspreken?' brulde Peter ineens.
'Nee, ik bedoel alleen maar...'
Verder kwam Thomas niet, want de klap die Peter hem gaf, sloeg hem tegen de grond. Moeder gilde en sprong van haar stoel, maar Peter was sneller. Hij greep Thomas bij zijn kraag en sleurde hem naar de gang.
'Ik heb schoon genoeg van jou, kereltje. Voor een jongen van tien ben je veel te brutaal. Een nachtje in de kast zal je leren.'
'Hij heeft niets gedaan,' gilde moeder die Thomas wilde lostrekken.
'Bemoei je er niet mee!' riep Peter en hij sloeg haar midden in het gezicht.
Het enige wat Thomas hoorde toen hij ruw de kast werd ingeduwd, was het hartverscheurende snikken van zijn moeder.

VII

Deze keer was Thomas niet bang toen hij het kraken van de trap hoorde en ook niet toen de handgreep van de deur werd omgedraaid. Hij verwachtte dat de deur zou opengaan, maar dat gebeurde niet. Het bleef stil. Ingespannen bleef hij in het stikdonker naar de deur staren. Zijn tranen waren al opgedroogd, maar zijn wang gloeide nog na en zijn oog deed pijn.
'Ik ben er al, Thomas.'
Thomas schrok op en stootte zijn hoofd tegen de wand van de kast.
'Papa?'
'Ik hoef geen deuren meer te openen. Dat is een voordeel van de dood. Hoe was je dag, jongen?'
'Ik was erg moe vandaag.'
'Hij heeft je weer geslagen, niet?'
Thomas knikte, er niet aan denkend dat het te donker was om dat te zien.
'Hij heeft mama ook geslagen,' zei hij. 'Ze wilde me alleen maar helpen.'
'Ik weet het wel, jongen.' Er klonk spijt in de stem.
'Je bent vannacht bij mama geweest,' zei Thomas.
Er kwam geen antwoord.
'Ze heeft het me zelf verteld. Ze zei dat ze van jou had gedroomd, maar ik weet dat jij het was. Waarom heb je haar niet gezegd dat ze Peter eruit moet zetten?'
'Dat kan ik niet, Thomas.'
'Maar dat is toch ook wat jij wil?'
'Wat ik wil, is niet belangrijk. Zij moet het zelf willen,' zei de stem.

'Ik dacht dat je ons zou helpen,' fluisterde Thomas teleurgesteld.
'Dat doe ik ook. Ik ben nu bij jou, zodat je niet alleen bent.'
'Ik heb liever dat je mama helpt.'
Het werd even stil. Het enige wat Thomas hoorde, was zijn eigen ademhaling.

'Hoe is het als je dood bent?'
'Het is heel stil,' zei de stem.
'Doet het pijn?'
'Nee, ik voel niets.'
'Ben je eenzaam?'
'Nee hoor. Ik denk voortdurend aan jullie, dan voel ik me niet alleen.'
'Misschien kan ik ook beter dood zijn,' zei Thomas.
'Zo mag je niet denken, jongen.'
'Maar dan zou ik bij jou zijn.'
'En je moeder alleen achterlaten?'
'Zij kan toch met ons meekomen?'
'Zo eenvoudig is dat niet, jongen. Je sterft pas als je tijd is gekomen. Trouwens, jij moet eerst nog een belangrijke taak vervullen.'
'O ja? Wat dan wel?' wilde Thomas weten.
'Gelukkig worden,' zei de stem zacht.

Het lichtstrookje onderaan de deur floepte aan en de trap kraakte zacht.
'Dat is mama', zei Thomas. 'Als Peter slaapt, komt ze me halen. Wil je niet even met haar praten? Dat zal ze vast leuk vinden.'
Geen antwoord.

'Papa?'

'Ik ben het, jongen. Kom maar.'

Het was zijn moeder die de kast opendeed.

VIII

'Ik heb met papa gesproken, mama,' zei Thomas terwijl zijn moeder zalf op zijn gezicht streek. Zijn oog was helemaal opgezwollen en de huid begon al te verkleuren.
'Hij zat in de kast. Gisteren ook al.'
Moeder keek hem even aan en glimlachte toen.
'Dat heb je vast gedroomd,' zei ze zacht.
'Nee, echt niet. Gisteren heb ik zelfs in mijn wang geknepen. Ik sliep echt niet.'
'Ik zou hem ook graag terugzien, lieve jongen van me,' zei ze met een trieste glimlach. 'Kom, we gaan slapen.'

IX

'Ik denk dat hij slaapwandelt,' zei Thomas' moeder aan de juf. Ze stonden bij de schoolpoort en de juf keek bezorgd naar het blauwe oog van de jongen.
'Hij moet tegen de kast zijn aangelopen.'
Aan de blik van de juf kon Thomas zien dat ze het verhaal niet geloofde. Beschaamd boog hij zijn hoofd. Hij wist niet wat hij nou het ergste vond: dat hij werd geslagen of dat zijn moeder loog.

'Is er iets dat je wil vertellen, Thomas?'
Het was middagpauze en de juf had Thomas gevraagd nog even te blijven. Ze was naast hem komen zitten. Het was vreemd, zo alleen met de juf in de klas. Hij durfde haar niet aan te kijken.
'Ik begrijp dat het moeilijk voor je is, Thomas. Maar als je problemen hebt, kan ik je misschien helpen.'
Thomas richtte zijn hoofd op en keek haar aan. Zijn ogen vulden zich met tranen.
'Je slaapwandelt niet, hè?'
Thomas schudde zijn hoofd en sloeg zijn ogen neer.
'Heeft je moeder je geslagen?'
'Mijn mama slaat me nooit,' zei hij fel. En dan fluisterend: 'Het was Peter.'
'Wie is Peter?'
'De vriend van mama. Hij woont bij ons en hij denkt dat hij nu mijn vader is, maar dat is helemaal niet zo. Hij zal nooit mijn vader zijn, want ik heb maar één papa en die sloeg me nooit!'
Nu hij dat had gezegd, kon hij niet meer stoppen.

De woorden stroomden uit zijn mond als water door een gebarsten dam. Hij vertelde alles: de bloemen, de cadeautjes, het drinken, het slaan, de kast... Maar over de gesprekken met zijn vader zweeg hij.

Na schooltijd stonden de juf en de directeur zijn moeder op te wachten. Thomas moest op het schoolplein blijven.
Toen zijn moeder weer buiten kwam, kon hij zien dat ze had gehuild. Ze pakte hem stevig vast en begon zachtjes te snikken.
'Het spijt me, mama,' zei Thomas. 'Ik wilde niets verklikken, maar...'
Zijn moeder legde een vinger op zijn lippen.
'Je hoeft niet te zeggen dat het je spijt, jongen,' zei ze. 'Ik moet jou vragen of je me kan vergeven. Ik ben het die jou moet beschermen.'
Ze gingen niet meteen naar huis, maar reden eerst naar de dokter. Die bekeek Thomas' oog en luisterde met gefronste wenkbrauwen naar het verhaal van zijn moeder. Toen vulde hij een formulier in en gaf hen de raad ermee naar de politie te gaan.

X

Die avond bleef het rustig. Peter had niet gedronken en zijn driftbuien bleven achterwege. Op die momenten deden ze met z'n allen alsof er niets aan de hand was. Peter maakte flauwe grapjes waarom moeder hard lachte. Ook Thomas lachte mee, ook al vond hij de grapjes helemaal niet leuk. Maar alles was beter dan de agressieve buien van Peter.
Toch was de spanning voelbaar. Niet één keer keek Peter de jongen in de ogen, alsof hij het niet kon verdragen om het bont en blauw gekleurde oog te zien. Zou hij zich schamen? Had hij er spijt van? Maar waarom zei hij dan niets?
Misschien kwam alles wel weer goed als Peter zou zeggen dat hij spijt had.
Maar Peter sprak alleen maar over alledaagse dingen en negeerde Thomas compleet. Moeder zei niets van het gesprek op school en zweeg ook over het doktersbezoek. Het formulier bleef in haar handtas.

XI

Het was vrijdagavond en al twee dagen was er niets gebeurd. De vrienden van Peter kwamen op bezoek en zoals gewoonlijk werd er veel gedronken. Thomas moest al vroeg naar bed, maar door het lawaai duurde het lang voor hij de slaap kon vatten. Hij moest uiteindelijk toch in slaap zijn gesukkeld, want hij werd wakker van de stem van zijn moeder. Het geluid kwam uit haar slaapkamer. Hij hoorde zijn moeder huilen en geregeld slaakte ze een kreet van pijn. Thomas wenste dat hij groter was. Dan zou hij de kamer binnenrennen en Peter slaan. Maar nu durfde hij dat niet. In plaats daarvan sloop hij naar beneden en kroop in de kast. Daar wachtte hij geduldig op het kraken van de trap.

'Papa?'
'Ik ben er, Thomas.'
'Hij doet mama weer pijn,' snikte Thomas.
'Ik weet het, jongen,' zuchtte de stem.
'Waarom doe je dan niets?'
'Omdat ik dat niet kan, Thomas.'
'Maar je houdt toch van haar?'
'Zielsveel, echt waar.'
'Wel dan.'
'Was het maar zo eenvoudig, Thomas. Ik wou echt dat het zo eenvoudig was,' zuchtte de stem.

XII

Haar ogen waren gezwollen en haar armen zaten onder de blauwe plekken.
'Mama, moet je ook niet naar de dokter?' vroeg Thomas bezorgd.
'Het is zaterdag, jongen. Dan heeft de dokter geen spreekuur,' antwoordde ze. Haar stem klonk gelaten, alsof ze geen fut had om iets te ondernemen.
'Dan kunnen we toch naar het ziekenhuis? Daar is altijd iemand. Peter is de hele dag vissen, dus die hoeft het niet te weten,' drong Thomas aan.
'Ik heb vannacht weer van je vader gedroomd.'
'Zie je wel!' riep Thomas uit.
'Wat, zie je wel?'
'Wat heeft hij gezegd?'
'Gezegd? Helemaal niets. Ik heb gewoon van hem gedroomd.'
'Dat is niet zomaar een droom, mama. Papa wil je zeggen dat je iets moet doen. Hij komt je zeggen dat je Peter moet buitenzetten!'
Thomas wond zich nu verschrikkelijk op en begon te huilen.
'Papa vindt het ook erg dat we geslagen worden. Daarom bezoekt hij jou in je dromen en mij in de kast.'
'Wat bazel je nou toch allemaal, lieverd?' suste moeder terwijl ze hem in haar armen nam.
'Hij wil gewoon dat we gelukkig worden, mama,'
snikte Thomas.
Zijn moeder begon zachtjes mee te huilen en minutenlang klampten ze zich aan elkaar vast.

Het wachten leek wel een eeuwigheid te duren. Ze hadden zich gemeld op de spoedafdeling van het ziekenhuis en zaten in de piepkleine wachtkamer. Naast Thomas zat een groot meisje met haar arm in een draagdoek. Haar vader fluisterde geruststellende woorden.
Naast Thomas' moeder zat een jongen van zijn eigen leeftijd in voetbalkleding. Aan zijn linkervoet droeg hij geen schoen. Zijn enkel was behoorlijk gezwollen en hij beet voortdurend op zijn tanden. De moeder van de jongen keek steeds weer naar Thomas' moeder, die zelf niet één keer van de grond wegkeek. Thomas wist dat ze zich schaamde. Hij hoopte maar dat die vrouw niet zou raden waarom ze hier waren.
Ook bij de dokter deed moeder haar verhaal met neergeslagen ogen. Soms trok ze weg toen de arts haar onderzocht en verscheen er een pijnlijke grimas op haar gezicht.
'Ik geef u de raad naar de politie te stappen, mevrouw,' zei de dame in het wit terwijl ze onderzoekend naar het blauwe oog van Thomas keek. 'Ik vrees dat uw problemen anders niet zullen ophouden.'
Ze overhandigde een formulier dat leek op het formulier van de huisarts. Moeder vouwde het zorgvuldig op en stak het bij het vorige. Met een nauwelijks hoorbaar dankjewel nam ze afscheid.

Toen ze uit de bus stapten en naar het politiebureau liepen, voelde Thomas zijn hart in zijn keel bonzen. Aan de manier waarop zijn moeder zijn hand vastklemde, kon hij voelen hoe bang ze was.

XIII

Thomas logeerde bij een klasgenoot. Hij en Olivier schoten prima met elkaar op en de ouders van Olivier deden hun uiterste best om het Thomas naar zijn zin te maken. Hij sliep op een matras in de kamer van zijn vriend. Ze maakten samen hun huiswerk, keken tv en lagen vaak nog een uur te kletsen wanneer ze al lang moesten slapen. Thomas vond het jammer dat hij geen broer had. Hij dacht heel veel aan zijn moeder en hoopte maar dat alles goed met haar ging.
Ze had hem gezegd dat hij beter even bij Olivier ging logeren zodat zij alles kon regelen. Wanneer hij terugkwam, zo had ze beloofd, zou Peter het huis uit zijn. Ze zou ervoor zorgen dat Thomas hem nooit meer hoefde te zien. Zijn vader miste hij ook. Nu hij niet thuis was, kon hij niet in de kast kruipen om met hem te praten.
Thomas genoot van de aandacht en van de rust die in dit huis heerste. Hij kon wel zien dat de ouders van Olivier van elkaar hielden. Ze waren lief en zorgzaam voor elkaar. Zo was het vroeger bij ons thuis ook, dacht Thomas.

Aan het einde van de week was hij heel nerveus. Zijn moeder had gebeld, hij kon morgen naar huis. Ze had vreemd opgewekt geklonken, opgewonden zelfs.
Toen de school uit was, stond ze al te wachten. Breed glimlachend opende ze haar armen. Ze was mooier dan ze in maanden was geweest en ze rook lekker. Hand in hand liepen ze naar huis. Zijn moeder repte met geen woord over Peter en stelde hem honderd en één vragen over zijn verblijf bij Olivier.

Thomas was blij dat hij weer vreugde in haar stem hoorde.

Toen ze thuiskwamen, schrok Thomas.
'Wat is er met de kast gebeurd?' vroeg hij geschokt.
Hij stond voor de opening onder de trap waarin jassen hingen en schoenen netjes naast elkaar stonden. De deur was verdwenen.
'Ik heb de deur eruit gehaald en een nieuwe lijst laten maken. Hier zal nooit meer iemand in worden opgesloten,' zei ze terwijl ze haar arm om Thomas' schouder sloeg.
Thomas glimlachte moedig omdat hij wist dat ze het met de beste bedoelingen had gedaan. Maar hoe zou hij ooit nog met zijn vader kunnen spreken?
Zijn moeder troonde hem mee naar de keuken en daar kwam de geur van vers appelgebak hem tegemoet.
'Heb ik speciaal voor jou gebakken,' zei ze glunderend.
Ze zette thee en even later zaten ze aan tafel. Thomas vond het heerlijk om weer thuis te zijn.
'Weet je,' zei zijn moeder, en ze pauzeerde even omdat ze nog gebak in haar mond had. 'Ik heb vannacht weer van je vader gedroomd. Hij zei niets, maar hij glimlachte de hele tijd. Ik denk dat hij blij is dat ik eindelijk een beslissing heb genomen.'
Thomas glimlachte naar haar en wilde een slokje thee nemen. Hij maakte een pijnlijk geluid toen hij zijn tong verbrandde en ze barstten allebei in lachen uit.

XIV

Thomas lag in bed en luisterde naar de geluiden van het huis. Muisstil is het alleen maar als je niet goed luistert. De trap kraakte zacht. Het geluid bewoog zich van beneden naar boven. Geduldig wachtte Thomas tot de deurklink zou bewegen en hij viel glimlachend in slaap.